KB076712

極(극) 공연의 의식성 推究(추구)咸(함)憲(에) 대해서 애트리뷰트성을 주의하여 보겠다 많은 연기이론에서 큰 장치들이 구별이 될것이다 과학적인 논리(논리)(논리)(논리) 방향에서 미생물적인 미학적 요소가 극방의 시베리아의 원주민들의 움직임이며 또한 사다리 훈련을 보아하니 중심적인 매트로닉 성의 주제화도 개선이 되는 중이다 또한 연기에서의 시학적인 표현력을 길러주기 위해서는 자세 교정이 필요하다

이 뜻은 무엇이냐면 공연의 의식에서 관객들에 게 어떠한 어필을 하였으면 하는

것을 신체로써 풀어 연결고리인 시학 即(즉) 눈에 자극을 받는것이다 그렇게 되면 상황극에서 탈춤을 연출을 해서 일본의 노를 표현할 수 있는 것이고 배경도에서 미국의 정서에서의 공연의 환경을 표현하는것도 나쁘지는 않지만 지금으로써의 연기의 법칙에서 시베

리아의 추운 날의 천문학적인 연구가 필요하다는 뜻이다 이 천문학 개념도에서 우주의 관찰과 극장의 동반해 물리적인 행위가 필요하다는 뜻이다 그렇게 되기 위해서는 신체 호흡에서의 큰 작용이 필요하다 이러한 측면에서 볼때 시각적인 흐름이 제일 중요하다 영화속

안에도 필름구도가 있을때도 영화의 역사나 바로 연기 작용을 했을때의 연구개념이 다르다는 뜻이다 공연속 안에 매체분석으로 또다른 서커스를 한다고 했을때 그나라의 정서를 맡길수 있다는 것이다 예를 들어서 인종이라던지 히프레이적인 연기 연출 적인 부분 이 들

어 나게 될수있다 그러므로
한가지 적성법은 과학적인
해석이 아닌 인문적인 해석
이 가능하다는 것이다 그러
므로 퍼포먼스에서의 각도
중심적인 연기흐름을 타고
나서 신체 부위를 좀더 정
성드려 未(말)하는 것이다
또한 침이나 심으로써의 활
용성에 배나 배꼽주위를 사

상적으로써의 힘이라던지 가상화된 의문점을 의식 시킬수있다 그 의식안에서는 말같이 화술에 의해서 끊임 없는 발성법을 해야되는것 이다 또한 인종의 差異(차이)로써 방면성을 추구함에 서 생강이나 치약을 써서 말하는 법칙이다 이로인해 서 사람들은 인간의 감성주의 성에서 들어나게 되는 것이다 또한 궁극적인 목적의식에서의 하누이치의 법칙을 따르게 된다면 매우 자극적이 면서도 면모가 지켜준다고 생각할수있다 는 것이다 음악극도 마찬가지로 음악의 중요성을 전달하되 연출의 개념으로써 배우가 계속 다행적으로 움직이는 것이 필요하다 또한 소품의 의식성 중에서 눈물을 흘리는 부분도 필요하다 애착의 의미로써 전쟁의 상황인 밀항선의 의미라던지 또한 북한의 공격이 있었다라는 문체라던지의 이유가 그려지게 되어있다 이때는 전혀 신체의 의식이 필요하지 않지만 공연의 중심선을

따라 하는 것의 주장이 깊
어진다 이렇게 되면 사고화
중심으로 써 주요한 동선을
짜야한다는 것이다 그의미
화는 동선이라는 것은 움직
임과 같이 시선들의 배경만
자체 안에서 주어지는 문제
이기도 하다 그러함으로써
개념과 밖의 개념에서의 트
라블을 견뎌야 하겠다는 것

이다 그렇게 되면 배경도 안과 밖은 또한 바뀔것이다 스포츠의식 장르인 신체 표현극과 같이 심리극이라는 것도 포함 시킬수있다 심리적인 것이라면 어떠한 부분이 필요하냐 실험의 장르로써 독일 영화 엑스페리먼트의 상항을 전개할수있다 이렇게 되면 시각적인 우위가

달라진 것이다 실험무대 안에서 사람들이 배우들이 실험을 해본다면 이야기 속의 약성분이 들어가기 때문에 말로써 하는 것이 낳을지도 모르는 예술계통의 산업이다 또한 공연의 이로운 점에서도 물체의식의 정면으로써 인체의 신비함을 보여줄수있다는 것이다 또한 뇌로써의 장르를 변경하기 때문에 다양한 매체 활용성과 과학적인 견해를 들수있다 인체에서의 속력과 표현으로써 일부의 심리 실험이 들어나게 되어있는데 이러함으로써 정면의 무대성을 가지면서 화술과 감정을 유리함을 보일수있겠다는 것이다 유효함을 보여준 내용

임으로써 실제로 말로써 배우들의 심리 즉 관찰하며 서로가 치료하는 힘이 필요하다는 뜻이다 결국에 모션 즉 움직임에서의 중요성은 사고화와 대사의 물리적 기반의 중요성이다 이러한 것에대해서 공연의 퍼포먼스에도 전자가 들어가는 사태를 열수있다는 것이다 전자

라는 것은 영상화나 빛의 조명화를 이야기 하는데 디지털적인 공연안에서 발도 할수 가있다는 것이다 고전 성의 영향을 받고 있음에 불과하고 또다른 의식을 느끼기 위해서는 세포들의 땀샘이 필요하다는 느낌을 받았다는 것이다 그러한 이유로써 항상 지켜야 할 과목

은 감정의식 보다는 양심이
라는 소재이다 물풍선 자체
에서는 또한 훌라우프도 마
찬가지로 계속되는 반응의
자극이 될수있다는것이다
거짓없는 말임으로써 공경
을 받을 이유가 있다는 것
이다 맹자는 어떠한 말을
했다 공자는 더 중요하다가
아니라 하나의 종교인 유교

사상이라는 것을 보아야 정확한 것이다 뼈로써 직접 진토를 들어가는 상황이 발견된다면 후속으로써의 러시아 적인 종교의 정교를 뜻하는것이다 마무리를 하자면 기초적 의식성안에서 차분하게 뻗어 나가는 현상이 나타나야 한다는 것이다 또한 연구의 개념으로써 발

달을 해야하는 것은 공연의 낙을 말하는 것이다 낙이라는 의미 안에서 시각적으로 보았을 때의 사물화나 서커스안에서 도 만행을 이을 수있다 는 것이다 서커스는 공으로써 만지고 네발자전거를 타는 형태로 되어있다는 것도있지만 음악극 가극과 같이 쓰이는 서커스도

있다는 것이다 음악극에서 서양의 형태로 되어 있는 것은 음성과 발성 목소리를 봐야하는것이다 이렇게 되면 정상적인 신체나 배우들에게 약의 말을 믿음으로써 화술을 하는 것은 이해를 할 수 있을있을 것 도식적인 판단 안에서 방향성도 안에 들어 갈수 있는 미학

적안의 구성을 볼건데 이 수없는 공연 안에서도 교집합적인 미학이 중심이 되어야 한다는 것도 있다는 것이다 그림 배경을 만들때나 아무나 즐거움을 열수 있다는 것임을 알아야 한다는 것이다 이러한 점에서 누군가 가 이 예술을 했을 때 지지않는 것은 각각의 미학

중심이 있기때문이다 이러한 형태소들은 아름다움의 읽혀는 이야기이다 심리적 요행을 해도 연기의 예술은 미학적이다 라고 들어 볼수 있다 또한 신체에서의 건반을 누루는 형태로써의 의미도 낙원인 것이다 이러한 배경안에서 궁극적이게 들어가는 것은 바로 사람들

즉 관객들의 유지성이다 누군가에게는 이롭기 도 하지만 상대방의 마음을 이해하고 내가 먼저 예술의 선행을 하는것이다 또한 커피를 마쉬는 것도 중요한 부분이다 커피를 마쉬는 것은 본증으로써 감정이 좋아지는 형태가 되며 자극이 잘되며 침이 쉽게 고이지 않고 이

빨 두개 사이에 오므라져 있다는 것이다 또한 원인으로써의 공연학들은 있지만 원인이 없는 것은 수도 없이 없고 희 를 감상할수있다는 것이다 또한 이러한 미학이 있으면 남다른 형태의 극장 개념도 와 설계 시 공력 부분을 알수있다는 것이다 영화 괴물의 3D 입체

화 부분도 누군가의 예술의
의식에서 태어났다는 것이
다 그러한 의문 안에서도
누군가의 다른 의견을 낼수
있겠다는 것이다 말하는 것
을 배우는 것도 의사소통에
대한것이다 인정성의 무대
안에서 도는 물리적 배경을
항상 경배하지말고 예술은
누구한테도 아름다운 형태

소이다 그렇게 될 때 예술이라는 항목은 공연 미술 음악 또는 스포츠예술 에서 뛰는 것들에대한 것이다 그리고 무사의 성질을 나타내는 가면의 의도 도 관객들에게는 다급한 질문이 아니다 그럼으로로써 방패라는 것은 필요하다고 볼수있다 또한 가면보단 십자가의 투구

라는 것을 심을때도 있어야 한다 보이스칼라들의 대부분의 구성도는 안에서 내면의 훈련을 통해서 알아야 된다는 것이다 심을 심을때도 해부학적으로 도 알아야 인형화 시켜 남들을 이해시킬수있다는 것이다 마지막으로 관객들을 시각화시키는 것이다 관객들은 자기의 내면 심리화를 시켜 배우들과 소통을 할려고 했다 또는 배우들의 내면을 통해 수학적 기법이나 다른 학문으로써 이해하는 관객들도 돋 보이는데 그러면 극장의 규모와 화자들의 성격들을 포함 시켜 인체의 변화도 유동성에 대한 논리적인 시간의 구성도를 짜야한다 시간 이라는 것은 0.00001초의 간격을 보아 행동과 비슷한 대하하여 설명을 축소화하기 위해 만들어진 것이다 건축에서도 이미 발견된 극장의 구성원으로써 나아가 자연적인 구상도를 짜서 만드는 것으로써 의미하여 기술적인 부분의 호흡 과 발성 형상 들과 같이 시공

도를 계획하는 부분들이 크다는 것이다 이로인해 신체적 자원부분들을 관리해주는 연출로써의 기법들이 살아나아 가야한다는 뜻이다 또한 민족성의 인문성을 고고려할 때 간주적 요소들이 많다는 것이다 소품으로써 봐야할 기계적 요소들 로써 미학적인 노트들이 필요하다는 것이다 미학부분 아래서 공연의 연극연기 또는 영화 카메라 유동성 연기에 대해서 좀더 살펴보면 되는 되는 것 이로인해서 영혼적인 연기론에 추구하는 방향성은 사람의 동물적요소나 심리적 간행적 행위에 대해서 물어볼수있다 시침에서부터의 시간의 사고성은 깊

이성이 주어지며 연극사에
나오는 귀한 러시아나 유럽
의 스타일적인 공론이 필요
할 것이다 또한 극장의 요
소들을 보아서 개념의 구성
안을 추구하는 것도 비슷한
이론적 물질들이다 뇌에서
작용하는 시각적 흐름도나
물리적인 반응하에서 인체
의 구조를 좀더 알았을 때

곧이어 미술적인 극장의 원
리를 알수있서 다는 것이다
해부학적 으로써 공업적인
부분의 계산측정이나 귀신
연기에서의 포인트가 될수
있다는 것이다 축소화된 배
경으로도 물리적작용이 일
어날수있게 끔 하는것이다
또한 신체를 측정해 자세교
정으로써 신체의 건강이나

내부도에있는 기능들을 추수려서 관객들에게 보여주는 작업물로써 기능적인 측에서의 편리한 육체운동도 필요하는 것이다 여기서 중요한 것은 신체를 무리하게 엮어서는 되지않는다 또한 신체장소에서의 힘이 들어가지 말아야하고 항상 근력근 빼는 것이 중요한 것이다 신체의 힘이 빠지면 누어지게 되는것이고 이 육체를 가지고 유호성을 따져야 한다는 것이다 동반해서 남미식 공연과 역사성에 비롯한 증거 예측을 할 수 있는 모세의 한 공감각적 수행이 있다는 것이다 이로인해서 xx.yy.z .1f 를 생각 할수있다는 것이다 또한 천문학적

인 요소인 연출에서도 그
역시 이해하는 배우들의 모
습은 흐름도 를 찾아야한다
또한 기피성이 있는 달의
식성이나 월식의 측정을 할
수 있는 앙부일구 같은 개
기월식의 농도를 알수있는
것이다 이렇게 하여 미국의
공연에서는 영국의 식민지
여서 미국적 인디오 의 기

원이 있다는 문화적인 기행들이 있을것인데 공연적인 부분에서 장식품에서 시작하는 공연적 관리가 필요할 수도 있다는 것이다 이로인해 과거의 정서적 행위라던지 기억의지배성을 가진다는 의무함을 내려놓고 자유의 극단구서를 써서 생물학적인 요소들주에서의 가면

기법들이 있다는 것이다 가면에서는 유럽에서 독일 폴란드에서 수작업을 하는게 좋다는 의미이다 따라서 기계적인 무대나 조명들로써 평가를 받고 있다는 것이다 여기서 전기라는 것은 조명의 밝기나 조절들로써 기능적인 해석이 필요하다는 것이다 퍼즐도 마찬가지로 즉

흥상황극 을 만들어 조심스
럽게 창의력을 키워주는 훈
련도 필요하다는 것이다 뇌
라는 측정값에서 볼수있는
동작의 리듬미컬한 부분들
을 볼수있는데 시각적인 사
항들을 알수있다는 것이다
또한 마임에서 상상으로써
만지기 기능성들의 인체의
신비를 느낄수있다는 것이

다 신체의 구도성에서 연출의 본체를 하여 연습을 하느것도 나쁘지않다 움직임성에서는 다양한 시트현상이 나타난다 이로인해서 항상 기획을 할때마다 미국의 상기법에 해당하는 물리성을 가져야한다 공연의 시간에서 와 공간안에서는 움직임도 필요하지만 제스처

나 말하는 대사와 같은 것도 비슷하게 예를 들을 수 있다는 것이다 또한 언어적인 몽타주인 그림자극 에서도 실체가 주어지고 있다 이것은 조명의 효과와 배들의 연기에서부터 연출성을 따져보는 부분들이다 색깔의 한계점은 무엇인가 라는 질문을 했을 때 사고적 표현의식 이 필요하다고 하고 싶다 이상황극에서 독자들 이 주인공으로써 바라봐 서 사적흐름도 를 분석해 미학 적인 예술이 필요하다는 식 이다 그러므로 표현서 상식 적인 언어들로써 지배하기 에 나름이다 또한 어떤 장 소나 위치의 지리적변환이 되는 사고화가 필요하다 이로인해서 통계적인 석 방법은 공연의 수학적 연기이론에 대한 설명이다 그림으로써 설명하자면 단계적인 요소들로써 신체의 균형이라고도 이야기 한또한 이 물리적 기반인 수학적 신체성의 구안도가 있을 것같다는 것이다 또한 독일의 실험극에서의 나름대로의 방면성이 주어지있다는 것이다 여기에서 힘은 감정의 상황이라는 것이다 얼굴의 안면도에서 시작해서 피부의 질적인 성분들로써 화를 낼 때 또는 기때 나타내는 것이고 무엇의 즐거움과 슬픔은 눈으로써 해결이 되는 것이다 견해의 부분에서 실질적으로 사용되는 물질등이 있는

데 그은 뼈이다 뼈로써 성명하여 기반을 잡을수있다는 것이다 단백저능은 신체에 도움이 되지않는다 근육은 신체의 안면도를 상징하기에 라고 있다 인종들의 뇌에서는 서양의 눈도 다르듯이 동양의 눈이 다르지만 혈액적인 농도에 비슷하게 이루어지고 있다는 것이다 누스름한 혀도 발음훈련에 도움이 되지 않는다 또한 머리카락에서의 중점인 연극구상도 가 있다는 것이다 그안에서도 세포라는 것 있기때문에 감정의 농도를 측정 할수있다는 것이다 흐름도에서 배경지식안에 해결될수있는 중점이있기도 하다 도식적으로써 힘줄필

요한부분도 있다는 것인 데
이것은 작용되는 팔의 유동
성들이다 또한 물을 많이
마시는 것이 제일 중요중요
한 것 침이 고이지않때문이
다 혀가 짧으면 목구멍을
이용하는것이다 뒤로빼서
음성작용들을 하는것이다
이로인해서 배우들의 신체
유동성을 파악한다 렇게 되

면 많은 감정을 쏟아 부울 수있고 내면의 심리적행위도 같이 보완할수있다는 것이다 그이후로 자지에대한 것들인데 뇌에대한상식을 같게되면 충분히 감각을 대살릴수가 있는 감정의 거울이라는것이다 이로함에 때문에 아메리칸 사이코의 영화에서 감정의 형을 알수있다는것이다 그러기에 이르러 후각적 작용들이나 시각적 작용들이 있다있다는 것이다 그러함에 따라서 시학을 견주해 볼다는 것이다 이로삼아 더이상의 감정의 기초적 원리에 대해서 설명을 했다 인체에서 등을 사용하는것도 있는데 덤블링도 좋지만닥에 서 움직이거

나 아니면 훌라우프를 한다
던지의 훈련법들이 잇다는
것이다 그러하여 등에서의
뼈근육이 상실되지 않아야
하며 도넘지않는 사고는 없
애야한다 기본적인 상황에
서도 이러한 이기심들이 있
으면 심리적인 부담감이 커
진다 그래서 내가 무엇을
할거며어떠한 움직임의 목

적이 있어야 한다 그때는
침을 한번 삼켜주는것이다
이러한 설명으로써 해부적
인 예술론을 한번 써 보았
는데 술로써 알아야 할것이
다

도서명 인체의 공연예술학

발 행 | 2023년 09월4일
저 자 | 저자명 허윤제
펴낸이 | 한건희
펴낸곳 | 주식회사 부크크
출판사등록 | 2014.07.15.(제2014-16호)
주 소 | 서울특별시 금천구 가산디지털1로 119 SK트윈타워 A동 305호
전 화 | 1670-8316
이메일 | info@bookk.co.kr

ISBN | 979-11-410-4333-9

www.bookk.co.kr